D1415521

Jean Little ~ Marisol Sarrazin

Mon petit trésor

Texte français d'Hélène Rioux

Éditions
SCHOLASTIC

Les illustrations ont été créées au pastel sur du papier pastel spécial.

Le texte a été composé en caractères Minister Book.

Catalogage avant publication de Bibliothèque et Archives Canada

Little, Jean, 1932-
[Sweetest one of all. Français]
Mon petit trésor / Jean Little ; illustrations de Marisol Sarrazin ; texte français de Hélène Rioux.

Traduction de : The sweetest one of all.
Public cible : Pour enfants
ISBN 978-0-439-93796-2

I. Sarrazin, Marisol, 1965- II. Rioux, Hélène, 1949- III. Titre.
IV. Titre : Sweetest one of all. Français.
PS8523.I77S9314 2008 jC813'.54 C2008-900845-6

ISBN-10 0-439-93796-5

Édition publiée par les Éditions Scholastic, 604, rue King Ouest, Toronto (Ontario) M5V 1E1 CANADA.

6 5 4 3 2 1 Imprimé à Singapour 08 09 10 11 12 13

Pour Eleanor LeFave qui m'a donné l'élan de commencer à écrire, pour Jenny Stephens qui m'a aidé à continuer sur ma lancée et pour les filles Felker : Elsie, Annabelle, Jane et Heather. Avec amour.
— J.L.

Pour Marc, mon amour, avec qui j'espère avoir le plus merveilleux de tous les trésors
— M.S.

L'agneau regarde la brebis.

— Qui es-tu? demande-t-il.

— Je suis ta maman, bêle la brebis.

— Et moi? demande alors l'agneau.

— Toi, tu es l'agneau le plus adorable des alentours! répond-elle.

La vache regarde gambader l'agneau.

— J'aimerais bien avoir un agneau, meugle-t-elle.

— Mais non, dit la brebis en riant. Tu ne veux pas un agneau. Tu veux un veau.

— Tu as raison, ajoute la vache.

Le veau regarde la vache.
— Qui es-tu? demande-t-il.
— Je suis ta maman, répond gentiment la vache.
— Et moi, qui suis-je?
— Toi, tu es le veau le plus vaillant du voisinage!

La jument regarde brouter le veau.

— Je veux un petit veau comme celui-ci, hennit-elle.

— Ce serait ridicule, dit la vache. En fait, tu veux un poulain.

— Mais bien sûr que oui! répond la jument.

— Qui es-tu? demande le poulain à la jument.
— Je suis ta maman, hennit la jument.
— Et moi alors, qui suis-je? demande le poulain.
— Toi, tu es le poulain le plus polisson du pâturage!

La truie regarde le poulain qui flageole sur ses jambes.
— Je voudrais tant avoir un poulain, soupire-t-elle.

— Allons donc, ce n'est pas un poulain que tu veux,
mais des porcelets, dit la jument.
— Voilà une excellente idée, grogne la truie.
— Pleine de bon sens, renchérit la jument.

Le plus petit porcelet lève les yeux vers sa maman bien dodue.
— Qui es-tu? demande-t-il.
— Je suis ta maman, grogne la truie.
— Et moi, qui suis-je? demande le porcelet.
— Toi, tu es le porcelet le plus pimpant de la porcherie! répond la truie.

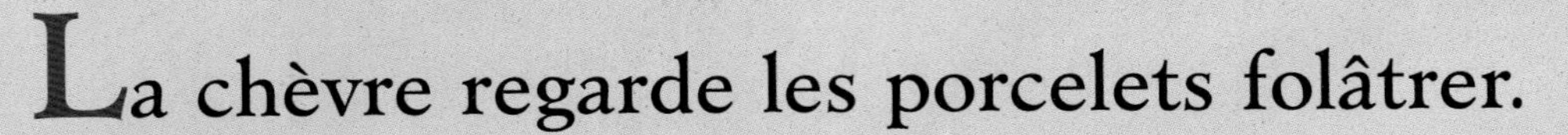

La chèvre regarde les porcelets folâtrer.

— Je veux des porcelets, moi aussi, bêle-t-elle.

— Mais voyons, les chèvres ont des chevreaux, dit le bouc en secouant la tête.

— Bien sûr! Et moi, j'aurai des jumeaux, lui répond-elle.

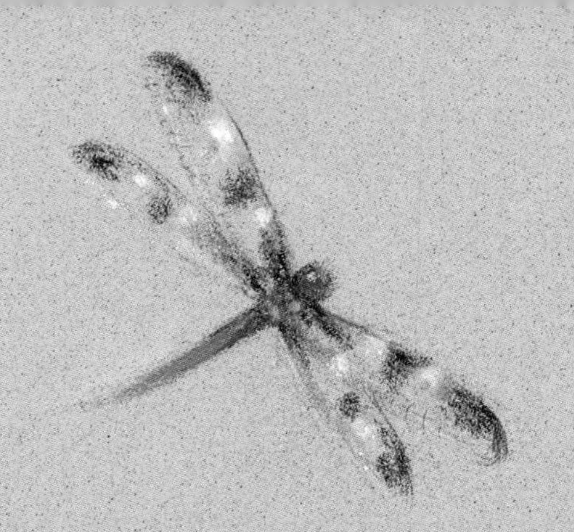

— Qui es-tu? demande le premier chevreau à la chèvre.
— Et qui sommes-nous? demande le deuxième.
— Elle est votre maman, répond le bouc.
— Et vous, vous êtes les chevreaux les plus charmants du champ, ajoute la chèvre.

L'oie observe les chevreaux qui cabriolent et caracolent.
— J'aimerais tant avoir quelques chevreaux, criaille-t-elle.
— Ce n'est pas un couple de chevreaux que tu désires, mais une flopée d'oisons! réplique la chèvre.
— Juste ciel! s'exclame l'oie en regardant ses œufs, je crois que j'en ai quelques-uns!

Les oisons contemplent l'oie.

— Qui es-tu? pépient-ils.

— Je suis votre maman, cacarde-t-elle.

— Et nous, qui sommes-nous? demandent les oisons avec curiosité.

— Vous, répond-elle, vous êtes les oisons les plus mignons de tous les environs!

La chienne regarde tendrement les oisons.

— Ils sont tout simplement irrésistibles! aboie-t-elle.
J'en veux moi aussi!

— Il n'en est pas question! proteste l'oie.
Toi, c'est un chiot que tu veux.

Le chiot ouvre les yeux.
— Suis-je un chaton? demande-t-il.
— Non, pas du tout. Tu es le chiot noisette le plus chouette de la planète!
Et elle lui donne un bisou sur sa petite truffe.

— Regarde tous ces nouveaux venus, chuchote une maman à son bébé en montrant du doigt les petits un par un.

— Tous ces animaux ont de merveilleux bébés, dit-elle.
Mais toi, tu es MON petit trésor, et à mes yeux,
tu es le plus merveilleux de tous les bébés!
— Maman! Maman! s'exclame l'enfant.
Et il lui fait un gros câlin.